Aventuras de una rebanada de pizza

Ana Luisa Anza

Ilustraciones de Javier De Aquino B.

PROGRESO
EDITORIAL

Teléfono: 1946-0620
Fax: 1946-0655
e-mail: ediciones@editorialprogreso.com.mx
e-mail: servicioalcliente@editorialprogreso.com.mx

Desarrollo editorial: Víctor Guzmán Zúñiga
Dirección editorial: Yolanda Tapia Felipe
Edición: Cyntia Berenice Ruiz García
Coordinación de Diseño: Rigoberto Rosales Alva
Ilustración: José Javier De Aquino Blancarte
Corrección: Martha Alcántara Rivera

Derechos reservados
© 2007 Ana Luisa Anza Costabile
© 2007 **EDITORIAL PROGRESO, S. A. DE C. V.**
          Naranjo núm. 248, col. Santa María la Ribera
          Delegación Cuauhtémoc, C. P. 06400
          México, D. F.

Aventuras de una rebanada de pizza
(Colección Rehilete)

Miembro de la Cámara Nacional de la Industria Editorial Mexicana
Registro núm. 232

ISBN: 978-970-641-773-2

Impreso en México
Printed in Mexico

1ª edición: 2007

*A Liliana, mi mamá, quien
me enseñó a ver mucho
más allá de las letras
y las palabras*

Pascualito muy querido,
mi santo Pascual Bailón,
yo te ofrezco este guisito
y tú pones la sazón

1

Soy una buena rebanada de pizza. No sólo porque me veo sabrosa con mis rodajas de salami rojo y las manchas verdes de pimiento en todo el cuerpo.

Soy una pizza profesional porque corro por los puentes peatonales haciendo mil malabares, saludo a los que esperan en la parada del camión, les tiendo la mano a los niños aunque estén haciendo un berrinche y casi siempre me veo alegre, especialmente cuando cruzo y descruzo la pierna sentada en la banca del parque que a veces uso para descansar. Creo que eso me hace una rebanada apetecible.

A mí se me hace que nadie se da cuenta del calor que hace adentro de una pizza. O sea, dentro del disfraz de rebanada de pizza que uso como herramienta de trabajo. Así nos dice don Sancho, el dueño de la pizzería a Laurita y a mí, que somos las que hacemos la publicidad de su negocio.

Como no puede anunciarse en la radio o en la tele o poner cartelones por todos lados, su esposa hizo los trajes de rebanada de pizza y nosotros tenemos que ir, de un lado a otro, para invitar a la gente a comernos. Bueno, no a nosotros, sino a una pizza de verdad.

Los trajes no son más que triángulos de tela con agujeros para sacar las piernas y los brazos, y otra abertura para respirar y ver porque tampoco se trata de que nos estemos tropezando si no sabemos por dónde caminamos. Así que al ratito ya estamos bien sudadas allá adentro. Pizza ahumada. O pizza sudada, como los tacos al vapor que venden en canastas en todos lados. Por más perfumes y desodorantes, yo sigo oliendo a sudor que, finalmente, es a lo que huelen las pizzas.

A Laurita yo no la conocía. Es más, le vi por primera vez la cara como a la semana de haber empezado a trabajar ahí. Es que tenemos turnos y horarios distintos y casi siempre la vi vestida de pizza hawaiana.

A mí me hubiera gustado más ser la rebanada hawaiana porque me encanta la piña, pero me conformo con la de salami porque su traje, el de Laurita, es como ocho tallas más grande que el mío. La gente puede creer que es una pizza rellena de queso pero la verdad es que está medio gordita.

Es un buen trabajo ser botarga, que así se llaman técnicamente los disfraces tamaño humano; y creo que de entre todas las botargas, la de pizza es la mejor. A mí no me gustaría ser un osito en una fiesta infantil o un frasco de analgésicos en una farmacia.

Las pizzas tienen más libertad y las de la pizzería *La Rebanada Feliz* todavía más. Como el negocio de don Sancho no es parte de una cadena de pizzerías muy conocidas, nos deja hacer lo que queramos, siempre y cuando le llevemos clientes.

Mis papás me dieron permiso de ser botarga. Dijeron que era un buen trabajo mientras estoy estudiando y para mis gastos personales, pues no me pueden estar pagando todas las idas al cine y los antojos de media tarde. Así que yo me pago esas cosas. Eso me hace sentir muy bien.

Sólo a veces me da pena encontrarme con un conocido en el camino, aunque la mayoría de las veces no me reconocen porque finjo la voz y me hago la disimulada.

Sólo un día pasó lo que algún día tenía que suceder. Estaba en la calle en mi faceta de pizza feliz, cuando vi al niño más guapo del mundo (o al menos, de mi escuela) que se dirigía directamente hacia mí. Hubiera querido meterme al horno...

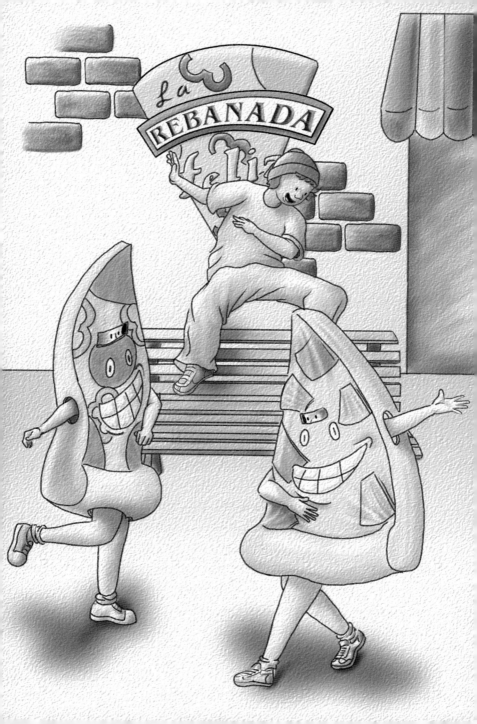

2

Laurita y yo estábamos platicando sentadas en una banca fuera de la pizzería. Ella terminaba su turno y yo empezaba el mío porque voy a la escuela en las mañanas.

Ahí estábamos las dos pizzas muy felices cuando en la banqueta de enfrente apareció El Colesterol. Así le dicen a Enrique. Que porque es malo para el corazón..., pero para el corazón de todas las niñas que se enamoran de él.

No es que sea muy atractivo (tiene la nariz enorme y de gancho), ni muy inteligente (en matemáticas nunca ha conseguido una calificación más alta que 7), ni muy atlético (está panzoncito) ni muy simpático (a veces le da por fastidiar a las niñas de los otros salones). La verdad no sé qué tiene pero todas las niñas lo ven (lo vemos) como el más guapo del mundo.

Yo jamás le había hablado porque:

1) Es el más popular de la escuela y siempre está con muchos amigos
2) Nunca me lo habían presentado
3) No tenía nada que decirle
4) Soy muy penosa
5) Cualquiera de las anteriores opciones
6) Todas las anteriores

El caso es que ahí estaba El Colesterol a punto de cruzar la calle y en dirección a la pizzería. Cuando llegó junto a la banca en que estábamos sentadas se nos quedó viendo como si fuéramos alienígenas (marcianos o cualquier otro tipo de extraterrestres).

Yo dejé de respirar unos segundos, tal vez así pensaría que éramos estatuas y no personas adentro de un disfraz. Como la táctica parecía haber funcionado, ni nos dirigió la palabra y se fue directo a *La Rebanada Feliz.*

Fue cuando aproveché para contarle a Laurita todo el currículum de Enrique, aunque la verdad no sabía mucho de él: vive cerca de la escuela (yo no), sus amigos son populares (los míos no), las niñas piensan que está guapo (no dije que yo también) y..., punto. En realidad, yo no sabía más del tal Colesterol.

Y en eso estábamos, en el chismorreo pizzeril (o sea, de dos pizzas cuchicheando) cuando salió del local y fue a sentarse justo junto a nosotras, en la misma banca.

Yo pensé en ese momento que lo mejor del asunto es que apenas me había puesto el traje de botarga, así que no estaba tan sudada y seguro no apestaba a lo mismo que Laurita.

Como ella ni lo conocía ni le importaba que fuera el más guapo, se puso a hacer sus gracias de pizza feliz y yo sentí que me tragaba la tierra. Me imaginé al planeta Tierra comiéndose completita y sin masticar una rebanada de pizza de salami. O sea, a mí.

Laurita se paró, le bailó enfrente y le hizo gracia y media. Yo pensé que había enloquecido o quería enloquecerme a mí porque, ¿para qué tanto espectáculo si Enrique ya había comprado pizza (de anchoas con berenjena…, ¡guácala!)?

Yo pensé que Enrique iba a burlarse o de perdida, a pararse y alejarse de las rebanadas locas. Aunque yo ni siquiera me había movido del asiento, no quería que me viera la cara. ¿Qué tal si me reconocía? Aunque no estaba muy segura de que alguna vez se hubiera fijado en mí en la escuela.

Pues todo lo contrario. Enrique se carcajeó, le hizo mil preguntas sobre el trabajo de las pizzas y cuando menos me lo imaginaba, se paró y se puso a bailar con Laurita, ahí en plena calle. Bailaron el "Jarabe tapatío" (tarareado por Laurita) y el "Son de la Negra", con imitación de mariachis a cargo de Enrique.

Cuando ya estaban en la onda punk (Laurita se echaba unas contorsiones espectaculares), Enrique me jaló del brazo para que me parara a bailar con ellos. Así que no me quedó más remedio que entrarle al baile, cuidando siempre de que no me viera la cara y de no hablar una sola palabra, no fuera a reconocerme la voz.

El espectáculo terminó con el aplauso del público asistente. Yo no me había fijado, pero estábamos rodeados por la gente que iba pasando por la calle y se quedaba a ver el show de las pizzas bailarinas.

Don Sancho fue el que aplaudió más, nos abrazó y nos regaló una pizza (chica) a cada una. Habíamos atraído a la pizzería más gente que nunca en toda la larga historia de su local. Y lo mejor es que se quedaron y compraron pizza. Supongo que se antoja si ves a las rebanadas bailar con tanto entusiasmo.

La verdad es que la pizza de don Sancho es deliciosa. Tiene un sabor que ninguna otra que yo haya probado. Cada vez que alguien se asoma a la cocina a ver qué hace, lanza una mirada fulminante y dice que nadie puede ver su ingrediente secreto.

A mí me da risa y mucho gusto pues don Sancho y su esposa doña Cheta trabajaron toda su vida para tener un negocio propio cuando ya fueran grandes. Así que le han puesto todos sus ahorros y su experiencia y les estaba yendo bastante bien aunque apenas empezaban.

Pero volviendo a la pizza de premio, diré que sin mirarlo a los ojos, yo se la di a Enrique, pues tenía que trabajar y no quería estar comiendo, mucho menos disfrutar la pizza cuando ya estuviera más que helada.

Y entonces dijo lo que dijo, o sea, dijo lo que me dejó tiesa durante varios días:

—Adiós, Irene.

No sólo me había reconocido sino que..., sabía mi nombre.

3

Se atravesó un fin de semana. Así que tuve dos días completos para prepararme para las burlas del lunes siguiente. O mejor dicho, dos días para sufrir.

Estaba segura de que El Colesterol habría regado el chisme entre todos sus amigos: que la tonta de Irene era una pizza en sus ratos libres.

Inventé cien mil excusas (no pongo la lista completa porque se llenan todas las páginas):

1) Que la pizza no era yo
2) Que estaba supliendo a mi papá (o hermano o tío o primo)
3) Que sólo estaba haciendo una prueba pero de ninguna manera estaba hecha para ese tipo de trabajo
4) Que sabía que Enrique iría a la pizzería y quise

hacerle una broma

5) Que mi verdadero trabajo era de dueña de la pizzería

6) Que Enrique sufría de alucinaciones..., sólo así
podía explicarse que platicara que había bailado
con una pizza en plena calle

Llegó el lunes, día fatal siempre pues interrumpe
el fin de semana, pero todavía más fatídico ese preciso
lunes, pues tendría que enfrentarme a mi destino como
pizza descubierta *in fraganti*.

Todo transcurrió muy normalmente hasta la hora
del recreo. Sabía que podía encontrarlo, así que del salón me fui directamente a la biblioteca, como si tuviera
mucho que estudiar o peor..., como si acostumbrara
usar los quince minutos de recreo leyendo en lugar de
jugar o platicar con las amigas.

Sólo que la biblioteca estaba cerrada, así que me
aguanté los nervios y me fui a jugar futbol con mis
amigas.

A mí la verdad no me encanta eso de patear al
balón pero ahora está de moda el futbol femenil, así
que ya sé qué es driblear, una chilenita y hasta el fuera
de lugar, especialmente porque siempre me marcan a
mí eso de la posición adelantada; y a pesar de mí, el
equipo de mi salón es campeón.

Cuando estaba a punto de acabarse el recreo, y el
partido, vi a Enrique. Se dirigía hacia mí. Pero no ve-
nía solo, sino con un grupo de amigos que se mueven

como panal de abejas por toda la escuela. Siempre van en bolita todos juntos y hasta se oye como un zumbido cuando van pasando.

Como esa vez estaba jugando de lateral izquierdo, no podía moverme de mi lugar ni correr a media cancha. El panal de abejas se detuvo justo en la línea de fuera, interesadísimos, como si estuvieran viendo el partido por la final del campeonato mundial. Por supuesto, no di pie con bola. Esa expresión me gusta mucho y además está perfecta para un juego de futbol. Se me pasaron todos los balones entre las piernas (que parecían de mantequilla batida) y terminó el juego con un vergonzoso 4 a 1 y compañeras con cara de furia.

Para volver al salón tenía que pasar casi por en medio del panal de amigos. Ya me imaginaba que Enrique había tramado algo para hacerse el chistoso con sus amigos, como decirme "te falta un poco de salami" o "¿bailamos, pizza mía?" o cualquier otra babosada que hiciera reír a sus amigos.

Así que ya muy dispuesta a hacerme la digna y no contestar a sus burlas, me preparé mentalmente y hasta cerré los ojos mientras caminaba.

Pero no pasó nada. Sólo sentí los pasos que me seguían y cuando voltee vi a Enrique correr hacia mí (sin amigos).

—Hola —me dijo—, y se puso más rojo que la salsa catsup con colorante extra. Yo no me atreví a contestar porque no sabía qué decir. De verdad creo que cuando la gente se pone nerviosa no sabe ni lo más obvio: ¿cómo no se me ocurrió contestar hola a un simple hola? Pues no, me fui derechito a mi salón y lo dejé ahí plantado en el patio.

Justo cuando pensé que ya la había librado, a la hora de la salida, Enrique volvió a aparecerse. Ya no dijo nada. Sólo se fue detrás de mí a la parada del camión que yo tomo para regresar de la escuela, se subió al mismo, se bajó en la misma parada, me siguió hasta la puerta de mi casa. Y entonces lo oí:

—Hola.

Otra vez lo mismo; y yo, sin mover los labios. Me paralicé.

—Yo también quiero ser una pizza —dijo.

Y entonces empezó a hablar de lo divertido que era ese trabajo, que él también quería ganar su propio dinero, que los disfraces estaban muy buenos, que le había encantado bailar conmigo, que si le podía decir a don Sancho que lo contratara, que no estaba seguro de que sus papás lo dejarían ser pizza. Yo no sabía qué decir pero eso no fue una dificultad porque no me dejó hablar.

Esa tarde, Enrique se convirtió en una rebanada de champiñones con aceituna.

4

El disfraz de Enrique es el más viejo y desteñido de todos pues no lo hizo doña Cheta, sino que lo compraron en una tienda de usado. Eso prueba que la idea de usar botargas viene de hace muchos años y también que la cultura del reciclado está de moda.

A mí me parece bien pues creo que debemos cuidar lo que tenemos y no tirar a la basura lo que todavía sirve, así sea un traje de pizza. Uno nunca sabe quién lo podrá necesitar en el futuro.

Así que, aunque el traje está medio amolado, Enrique se ve bien de rebanada de pizza pues está alto y llama más la atención. Además, es muy ágil con los bailes y marometas e inventó el saludo de las pizzas, que consiste en hacer un triángulo con los dedos y luego hacer como si se lo estuviera comiendo. A don

Sancho le encantó el numerito y ahora hasta él lo hace con los clientes que entran al local.

Podría decir que todo estaba perfecto; y es verdad: ESTABA perfecto hasta que un ala de cucaracha lo echó todo a perder.

El día que apareció la primera, bajo un trozo de jamón, todo empezó a salir mal.

—Don Sanchito –dijo Arminta, la dueña de la papelería que está junto a *La Rebanada Feliz*. Ella va al menos tres veces por semana, no sólo porque le encanta la pizza sino porque vive demasiado lejos como para ir a comer hasta su casa.

Don Sancho estaba tan ocupado preparando su primer pedido para llevar, que no la escuchó. Así que yo, que estaba cerca y apenas poniéndome el traje, pude ver la cara de Arminta. Estaba aterrorizada.

Creo que cualquiera puede reconocer una cara de terror y hasta la podemos fingir: ojos abiertos como si estuvieras viendo a Drácula en pleno trabajo (o sea, mordiendo un cuello), boca también abierta (como si le fueras a dar una mordida al mejor chocolate del mundo) y voz paralizada (como cuando no puedes hablar porque no sabes ni qué decir).

Pues Arminta estaba totalmente aterrorizada..., pero viendo fijamente a la pizza, como si el pedazo de masa con salsa pudiera atacarla.

Yo pensé que, de plano, tantos años entre útiles escolares (reglas, escuadras, compases, lápices, mapamundis, sacapuntas, estampitas biográficas, colores, plumas, cartulinas y todo ese material que no hace más que recordarnos constantemente que hay que estudiar) la habían vuelto loca. Trabajar en una papelería no debe ser tan fácil. Todo es demasiado escolar. Pero no: había algo en la pizza. Una mancha oscura justo en la rebanada que Arminta había elegido para comenzar a comer. Enrique y yo nos acercamos: era un ala de cucaracha.

Don Sancho se puso más colorado de lo normal. La gente por lo general se pone pálida ante algo que le asusta o lo pone nervioso. Pero es que don Sancho es rojizo y rollizo (esta última palabra quiere decir robustito, rellenito, gordito..., aunque nadie la use más que yo, que me gusta porque rima con rojizo).

Así que al ver el ala de cucaracha, don Sancho alcanzó un color púrpura que me hubiera encantado (porque el morado es mi color favorito), de no ser porque me preocupé un poco; y es que un ala de cucaracha no es cualquier cosa. Uno puede comerse una hormiga (de las que se meten en los frascos de miel), una patita de araña o hasta el pelo de un perro extraviado. Es más, en muchas partes del país se hacen platillos con insectos, como los chapulines doraditos que se comen en Oaxaca o los huevos de hormiga de Hidalgo.

Yo me tragué un día una abeja completa que se había ahogado en un vaso de refresco. Sentí su cuerpo peludito. Me dio asco aunque me hice lavado de

cerebro pensando que la miel es deliciosa. Pero ¡las cucarachas! Nada más de pensar en cómo crujen cuando alguien las aplasta, en sus antenas movedizas y en su cuerpo duro y asqueroso, es absolutamente otra cosa. Así que podría decirse que un ala de cucaracha cambió el rumbo de la historia.

5

He aquí el relato del derrumbe de un imperio.

Si fuera maestra de historia, casi casi así habría empezado a contar este triste relato. Y es que como el romano, el griego y todos los imperios, *La Rebanada Feliz* se derrumbó…, aunque, pensándolo bien, ni yo soy maestra de historia ni la pizzería era el gran imperio. Simplemente era un negocio al que le estaba yendo bastante bien; y es que la pizzería se había convertido ya en el restaurante favorito de la colonia. No sólo porque era la única en muchas cuadras, sino porque el ingrediente secreto de don Sancho le daba a la pizza un delicioso aroma que provocaba antojo a todo el mundo.

Sin duda, había sido una buena idea poner una pizzería en ese lugar, en donde antes sólo había tiendas para comprar comida industrializada. No me voy a soltar aquí un largo discurso sobre las propiedades alimenticias de la comida chatarra porque, la verdad, a mí me encanta y sería como muy hipócrita que me echara un sermón espectacular sobre las ventajas del betabel sobre las de los churruchunchis que tanto me gustan, especialmente con mucha salsa de chamoy y el jugo de unos tres limones.

El caso es que comprendo que tampoco hay que estar comiendo pura comida en bolsitas —estoy de acuerdo en que eso puede llegar a aburrir a cualquiera—, así que la pizzería de don Sancho fue un gran éxito en la colonia.

Hay que reconocer que doña Arminta fue bastante discreta. Después de encontrar el ala de cucaracha en su primera rebanada de pizza del día, se quedó patidifusa. Así dice mi abuelo Juan. Supongo que eso quiere decir que las patas (o sea, las piernas) se le quedaron difusas (algo así como no muy firmes). O también se dice patitiesa. O sea, se quedó como estatua petrificada por el horror; y es que la papelería de Arminta es de lo más ordenado y limpio de la colonia. Ella misma es un personaje de lo más pulcro y exagerado, diría yo, no sólo en la colonia sino en el mundo. Para que no me digan que son mentiras, cualquiera puede venir a comprobar que ella limpia con alcohol el teléfono antes de usarlo, no vaya a ser que alguien haya dejado microbios en la bocina. Es la mejor cliente del señor del control de plagas, porque a cada rato está fumigando, especialmente desde el día en que encontró a un ratón en el cajón de los mapamundi.

Es de las que usan guantes todo el día y siempre logra que estén blancos (yo sospecho que tiene varios pares) y no se los quita sino para comer..., entonces, se podría decir que la reacción de doña Arminta fue bastante discreta porque el grito que pegó se oyó sólo en dos cuadras y no en toda la colonia.

Acto seguido, se desmayó.

Enrique y yo tuvimos que ir corriendo a la farmacia, a ver si estaba el encargado para que le diera sales o alcohol o algo para que se despertara; y entonces sí, se regó el chisme.

Han de saber que Julián Castorena de la Garza y Salcido, más conocido como La Voz y encargado de la farmacia, es una especie de periódico local combinado con programa de radio de espectáculos y vecina chismosa. Pero no nos quedó otra. Era arriesgarse a regar el chisme con La Voz o dejar que doña Arminta se quedara ahí tirada, quién sabe si momificada para siempre (obvio, porque las momias son para siempre).

Lo que el grito de doña Arminta no abarcó, La Voz se encargó de cubrirlo. En 10 minutos, el vecindario completo, con sus más de 37 cuadras, conocía la historia del ala de cucaracha. Completada, claro, con toda una serie de datos adicionales que cada quien le fue inventando para hacer más interesante la reseña.

Comenzaba el derrumbe.

6

Don Sancho estaba desconsolado. Él, que es tan cuidadoso con la limpieza de su cocina y su restaurante, había dejado pasar una cucaracha. Porque el ala sola no podía haber llegado así nomás.

Laurita, Enrique y yo buscamos el cuerpo del delito (o sea, el resto de la cucaracha) por todos lados. Recorrimos todos los rincones, levantamos sillas, mesas y hasta la estufa, me metí en el horno de leña (porque soy la única que cabe), sacamos todo lo que había en el bote de basura del patio (incluyendo papel de baño usado y cáscaras podridas de tomate).

No encontramos ni siquiera una antena de cucaracha. Es más, ni una patita.

De nuestra investigación, por la que Laura incluso faltó a la escuela, hicimos el siguiente razonamiento:

Si no había restos del cuerpo de la cucaracha, el ala

no podría haber llegado hasta el horno volando sola (dado que toda ala necesita un cuerpo que la impulse, una conclusión biofísica aportada por su servidora, o sea yo, porque cuando alguien dice su servidora o servidor, es que se refiere a uno mismo, expresión de lo más ridícula si se me permite dar mi opinión). Si todo eso estaba comprobado, entonces…, alguien tendría que haber colocado el ala en la pizza.

Hicimos por lo tanto una lista de sospechosos:

1) ¿?
2) ¿?
3) ¿?

Era una pésima lista de sospechosos, de la que llegamos a la siguiente conclusión, igual de brillante:

Alguien había introducido el ala de cucaracha, pero no teníamos idea de quién podía haber sido.

El problema es que mientras andábamos con nuestros sesudos e inteligentes análisis, la voz se corrió con ayuda de La Voz. Una vez resucitada doña Arminta (lo que tomó dos segundos), corrió a su papelería (*La Regla de Oro*, como si un instrumento como ese pudiera ser de oro) y pegó un cartel: "Cerrado hasta nuevo aviso por enfermedad higiénica".

Nunca en la historia, al menos desde que yo recuerde, *La Regla de Oro* había cerrado sus puertas. Ni siquiera los domingos, el clásico día en que uno se acuerda que tiene que llevar a la escuela dos estampitas de los héroes patrios o una cartulina naranja para el lunes y sin falta. Todos en la colonia sabíamos que se podía contar con materiales escolares de última hora.

Al ver las rejas azules con las que doña Arminta cerraba la puerta del local, todos los que pasaban por ahí sentían curiosidad y, claro, se acercaban a ver el letrero.

—¿Enfermedad higiénica? —se preguntaban todos los que leían el inocente cartelito, y claro, no faltó quien comenzara a hablar de la nueva peste bubónica que azotaba a la colonia, de epidemias de influenza o mínimo, de un dengue mortal que amenazaba la salud de todos los habitantes.

La Voz se encargó del resto: la enfermedad (nunca dijo que había sido una simple ala de cucaracha, probablemente limpia y sana, la que había causado el ataque de doña Arminta) había surgido de *La Rebanada Feliz*.

Es cierto eso que dicen de los chismes: es como jugar al teléfono descompuesto. Cada quien le va agregando detalles a la historia conforme la va platicando a otros.

Total, que en sólo tres días, *La Rebanada Feliz* era considerada el lugar más antihigiénico y sucio del mundo, corría el rumor de que habían encontrado ratones estrangulados, trozos de res con el virus de las vacas locas y hasta un pollo con la nueva enfermedad de la gripe aviar que, hasta donde yo sé, todavía ni llega a este continente.

Si en días normales la fila de clientes comenzaba desde temprano y hasta se extendía por la mitad de la cuadra, a partir de la tragedia de doña Arminta apenas se paraban las moscas (eso sí, fuera del local porque don Sancho tenía mosquiteros por todos lados y unos papeles que atraían y dejaban pegados a los insectos que se atrevían a traspasar las puertas y ventanas).

Nosotros, las tres rebanadas, jamás pensamos que la clientela fiel se fuera a espantar por una simple alitita de cucarachita pero sí..., y desde ese día, por más gracias que hicimos y piruetas que inventamos, nadie se acercaba a *La Rebanada Feliz*.

A falta de la deliciosa pizza, los oficinistas que trabajaban por ahí cambiaron su dieta por comida chatarra y las amas de casa ya no usaban como último recurso a *La Rebanada Feliz* cuando no tenían tiempo de preparar la comida. Preferían (¡increíble!) una lata de atún.

Don Sancho estaba desolado. Dos días después de la tragedia, lo encontramos llorando en la cocina, frente al gran horno de leña, hablando con la masa que nunca habría de convertirse en una deliciosa pizza.

Teníamos que hacer algo antes de que el patrón se nos volviera loco, la más deliciosa pizzería del mundo cerrara para siempre y nos quedáramos sin la mejor chamba del mundo.

7

Los días pasaron y ya nada fue lo mismo. Por más dramático y exagerado que suene, es la purititita verdad, como dice mi tía Idalia al terminar cada una de las frases que pronuncia, como para que no la contradigas aunque ni intenciones tengas de hacerlo.

Las consecuencias del ala de cucaracha fueron trágicas:

1) *La Rebanada Feliz* cerró sus puertas. Adentro se quedaron don Sancho y doña Cheta llorando sus pesares, acariciando al horno y pensando qué hacer para reabrir el negocio; y digo que se quedaron adentro porque ahí mismo tenían su casa, en el segundo piso, no porque fueran unos mártires dispuestos a dormir entre mesas metálicas y latas de salsa de tomate.

2) Enrique, Laurita y yo nos quedamos sin empleo y, por lo tanto, sin idas al cine ni taquitos de antojo con los amigos.

3) Lo peor de todo: como Enrique y yo no teníamos qué compartir porque ya no éramos las rebanadas amigas, poco a poco dejó de hablarme y se convirtió una vez más en El Colesterol..., con todo el dolor de mi corazón.

Empecé a extrañar el sudor dentro del traje, las piruetas que inventábamos y el tener la libertad de ir y venir por las calles haciendo payasadas sin revelar mi verdadera identidad porque, he de decir que soy bastante penosa y eso de andar brincando por los puentes peatonales no lo habría hecho jamás sin la protección de mi bello disfraz de pizza de salami.

Por supuesto, comencé a sentir nostalgia por la voz de Enrique (ahora convertido otra vez en El Colesterol), por los ratos que pasábamos juntos y por tener oportunidad de verlo todos los días fuera de la escuela. Claro, esto no se lo confesé a nadie para no hacer el papel de cursi enamorada.

Además, como que empezó a sobrarme el tiempo en las tardes. Estaba tan acostumbrada a mi trabajo de pizza que ya ver la televisión o vagabundear por la casa me parecía demasiado aburrido.

Así que comencé a sentirme medio inútil porque, la verdad, cuando trabajas sientes lo que es ganarse el dinero, lo difícil que resulta y como que te gusta hacer un esfuerzo extra para conseguir con qué pagar tus gustos.

Por supuesto, no podía abandonar a don Sancho, así que iba a visitarlo casi todos los días. A veces estaba triste viendo con ojos de melancolía su local; otras, hacía planes para abrir otro negocio (en sólo tres días lo oí hablar de autopartes, vulcanizadoras, imprentas, etc..., siempre algo que evitara la presencia de las odiadas cucarachas y no diera al traste con la clientela).

Yo no me conformaba con dejar de ser una pizza, así que cuando encontré a don Sancho y doña Cheta experimentando nuevas fórmulas secretas para ¡pizza! me di cuenta de que tenía que hacer algo para que *La Rebanada Feliz* volviera a hacernos felices a todos.

8

En todas las colonias de todas las ciudades del mundo hay un loco, un estrafalario, una bruja o alguien que se sale de lo común (hay quienes dicen que sus vecinos son extraterrestres, por ejemplo. Aunque en ese caso no sé si los raros son ellos o los supuestos alienígenas).

En mi colonia, tal personaje se llama Abundio y está siempre sentado fuera de la única tienda de abarrotes que hay por el rumbo y que se llama *El Último Paraíso Invisible*. Es un nombrecito medio extraño.

Nunca he sabido por qué don Gaudencio le puso así…, será que como paraíso realmente es invisible (porque el local es minúsculo, amontonado y no tiene nada de paraíso) o porque tal vez lo bautizó durante uno de sus pleitos con doña Gachis, su esposa, porque también son famosos por las peleas públicas que arman y las reconciliaciones en las que parecen que derriten a miel de tan dulces.

Cuando *La Rebanada Feliz* cerró, don Gaudencio vio oportunidad de negocio y en lugar de ofrecer solamente frituras y refrescos, se amplió y comenzó a hacer tortas al gusto..., pero a su gusto porque la verdad estaban bastante grasosas y con ingredientes de origen desconocido. Claro, todos los infieles de la pizza abarrotaban el lugar y, con las aglomeraciones, Abundio se puso a cantar más fuerte que nunca; y es que este individuo no habla: todo lo dice cantando.

Dicen que Abundio fue un hombre muy rico y muy trabajador. Que aunque no tenía familia, se la pasaba en las reuniones de todos en la colonia porque era simpático, dicharachero y muy amable. Que cuidaba a los niños cuando los vecinos tenían que salir y ayudaba a las mamás en los quehaceres de la casa los domingos, el único día en que no tenía que ir a su oficina.

Todo pasó a tragedia cuando se le ocurrió que quería ser cantante de ópera. Comenzó con clases en las noches una vez por semana. Luego dos, tres, cuatro y cinco veces. Después decidió que ocuparía las tardes en el canto y, al final, se dedicó por completo a aprender el *bel canto*, como él lo llama. Pero Abundio desafina absolutamente todo lo que canta. No entona ni el Himno Nacional, aún cuando lo cantemos a coro.

Después de ser rechazado en la Compañía Nacional de Ópera, el coro estatal y municipal y hasta el coro de la iglesia, Abundio abandonó el mundo de los seres normales y decidió que todos quienes se acercaran a él escucharían siempre su bella voz, como suele decir aunque nadie esté de acuerdo. Pero todos estamos felices de que él sea muy feliz con su vida de cantante local.

Desde entonces, Abundio canta los saludos, las conversaciones y las ofertas del día en la tienda de abarrotes que es como su casa, pues don Gaudencio es el único que soporta los desafines y hasta le presta la bodega de atrás para dormir, porque nuestro cantante ya perdió casa y trabajo.

Ya todo mundo en la colonia está acostumbrado a escuchar el dizque canto, así que generalmente nadie presta atención a lo que dice cuando canta para sí mismo. O sea, sólo hacemos caso cuando es una respuesta o se dirige directamente a alguien.

Así que el día que escuché lo que decía su nueva ópera cantada medio en tono de cumbia, me quedé tiesa:

Sólo hay que cruzar,
por el puente peatonal
para disfrutar
una pizza sin igual,
—cantaba (es un decir) Abundio.

¿Sería que don Sancho había decidido probar nuevos horizontes y abrir una pizzería en la colonia de enfrente, donde aún no llegaba su fama de antihigiénico?

¿Sería que Abundio estaba inventando porque se había acabado todas las letras de las canciones conocidas y por conocer? O..., ¿sería que alguien más pensaba abrir una pizzería aprovechando la tragedia de *La Rebanada Feliz?*

Esa tarde me aguanté la pena y le llamé a El Colesterol (pero le dije Enrique) para una junta urgente. Laurita se unió al clan de investigación en la noche, al terminar sus clases.

Teníamos mucho que investigar...

9

Laurita, Enrique y yo hicimos lo cantado por Abundio. Al cabo que la melodía era pegajosa y, sin querer, nos fuimos canturreando sin darnos cuenta lo de "una pizza sin igual" (yo me sentí medio traidora).

El puente peatonal comunica a dos colonias que están divididas por una amplia y peligrosa avenida. Lo de peligrosa dicen los papás, pues a cualquiera asusta la velocidad a la que pasan los camiones de pasajeros, como si en el mundo no existieran peatones.

Si en nuestra colonia casi no hay tiendas ni comercios, la de enfrente está como invadida: hay dos papelerías (doña Arminta tendría mucha competencia), cuatro tiendas de abarrotes (adiós tortas de don Gaudencio), seis locales de diferentes deportes de defensa personal como karate, tae kwon do y derivados (o sus calles son más peligrosas o sus habitantes son más precavidos), un mini súper, cinco farmacias (a lo mejor ellos son menos sanos), cuatro restaurantes (comida mexicana, tailandesa, afgana y sueca) y muchísimos negocios más, chicos y grandes, como para todos los gustos y necesidades; pero eso sí, hasta el día anterior, ni rastro de pizzas.

Estábamos por regresar convencidos de que la exploración colonial (o sea, de la otra colonia) había sido un fracaso, cuando Laurita se quedó viendo al cielo, como si hubiera visto un fantasma o, mínimo, un platillo volador a punto de aterrizar.

Enrique y yo volteamos y nos quedamos de a cuatro. Esta expresión –quedarse de a cuatro–, la usa mi tía Reinalda y quiere decir que nos quedamos sorprendidos, pero quedo a deber por qué se dice de a cuatro y no de a seis o de a nueve, que es mi número favorito.

Sobre nuestras cabezas, colgando de un poste al otro, estaba no sólo una maraña de cables sino una gran manta que decía: *Próximamente, Pizza sin Igual, las que no tienen rival.* Laurita y su servidora (o sea yo) comenzamos a hablar interrumpiéndonos, hablando de competencia, negocios, posibles traidores y recetas secretas. A mí hasta se me salieron las lágrimas. Enrique se quedó callado y su cara se puso pálida. No cabe duda de que cada quien reacciona distinto.

Más calmados, nos dimos cuenta de que justo debajo de la manta había un pequeño local que estaba siendo arreglado. Hasta donde pudimos recordar, había sido un negocio de productos químicos para jardín bastante destartalado y ahora lucía como nuevo, con sus mesitas color naranja y un gran horno al fondo.

Justo cuando Laurita y yo dimos el primer paso para buscarle entrada y ver qué podíamos encontrar, Enrique se nos paró enfrente extendiendo los brazos para impedirnos el paso.

—No, no debemos dejarnos ver por el enemigo –dijo–, tenemos que hacer un plan para derrotarlo.

Aunque se pasó de dramático (yo creo que ve muchas películas), comprendimos que tenía razón.

Así que volvimos al cuartel general de investigación (es decir, mi recámara) y tuvimos nuestra primera reunión.

De la junta ultra urgente algo me quedó claro: Cuando sea grande podría dedicarme a la investigación submarina, la arquitectura del paisaje o a la construcción de puentes, pero puedo ir descartando la carrera de detective o investigador policiaco.

Mientras que a mí no se me ocurrió ninguna hipótesis, Enrique miraba al cielo como buscando respuestas y Laurita lanzó ideas al por mayor:

1) El ala de cucaracha había sido plantada en el cuerpo del delito (la pizza de doña Arminta) por un grupo de fabricantes de comida chatarra que deseaba deshacerse de la competencia de las nutritivas pizzas de don Sancho.

2) Doña Arminta podría haberse vuelto loca entre tanto compás y mapamundi y había decidido probar sus habilidades como actriz, carrera que nunca logró desde que la rechazaron cuando fue a hacer unas pruebas para aparecer en un comercial de pañales desechables.

3) La Voz se había aburrido de no tener más chismes que contar, por lo que introdujo el ala de cucaracha en una de las latas de salsa de tomate de la pizzería (a esta conclusión le faltaba el cómo).

4) Don Gaudencio había sufrido un arranque de celos por la clientela que habíamos logrado y había planeado el ataque. Sólo así se podía explicar que alguien comprara sus tortas grasosas.

5) Una organización criminal había enviado a un agente espía disfrazado de cliente normal para deslizar sigilosamente el ala en la pizza de doña Arminta, para hacer quebrar el negocio y adueñarse de la clientela.

No tuvimos que discutir mucho. La única conclusión posible (porque era la que tenía que ver con la nueva pizzería) era la última: alguien había entrado al local de don Sancho. Ese mismo alguien había puesto el ala en la rebanada. El tal alguien tenía mucho que ver con la aparición de la nueva pizzería de la colonia de enfrente. Alguien tendría que ser descubierto.

10

Confieso que, al menos yo, no tenía ni la menor idea de qué es lo que teníamos que hacer.

Enrique propuso ir con don Sancho para tratar de recordar quiénes habían entrado ese día a la pizzería..., aunque habían pasado demasiados días como para encontrar evidencias, como llaman los detectives a las pruebas que dejan regadas los culpables.

Como Laurita tenía que seguir en sus clases por la tarde, Enrique y yo (nótese que no le digo ya El Colesterol) pasamos las tardes con don Sancho y su esposa Cheta. Al cabo en esos días estaban ocupados en encontrar una receta secreta especial que borrara de la memoria de los habitantes de mi colonia la etiqueta que le habían puesto de antihigiénico.

Don Sancho no nos permitía ni acercarnos a su cocina y había vaciado sus famosos ingredientes en botes sin etiqueta, así que ni idea teníamos si el que normalmente contenía perejil ahora estaba ocupado con albahaca.

Aunque me remordía la conciencia perder el tiempo en la plática porque la *Pizzería sin Igual* estaba a punto de ser inaugurada, la verdad es que fue divertido estar con ellos y escuchar sus historias.

Don Sancho había sido bolero, albañil, pintor de brocha gorda (o sea, no artista sino pintor de paredes), aprendiz de mago (con el célebre Kabum Chicun), vendedor de lotería y de enciclopedias, sastre, boxeador, tejedor de sarapes e integrante de una banda de música norteña.

No sé exactamente el orden. En todo eso había trabajado pero para juntar el dinero justo para dedicarse a su verdadera vocación: la cocina.

Conoció a doña Cheta justo en una tortillería. Entonces no había máquinas sofisticadas y ella se dedicaba a tortear la masa, como le dicen a fabricar las tortillas bien planitas y parejitas. Eso es algo que yo he intentado mil veces y me quedan bolas de masa parecidas a la plastilina cuando está vieja y dura.

—No sé si fue el olor de la tortilla recién hecha o la dulzura con que sus manos acariciaban la masa. El caso es que ahí mismo caí enamorado perdido –nos platicó don Sancho.

Doña Cheta no habla mucho. Sólo sonríe, ríe o se carcajea según la gracia que le haga lo que va diciendo su esposo. Lo bueno es que siempre está de buen humor; y supongo que sigue con la misma habilidad de manos porque es ella quien prepara la masa para las pizzas y quien les da forma.

Ahí nos enteramos de que los dueños de la ex mejor pizzería del mundo habían tenido ocho hijos y por eso nunca habían podido poner su negocio. No podían arriesgarse antes de que sus hijos terminaran de estudiar. Ahora que todos estaban casados y vivían lejos, ellos invirtieron todos sus ahorros en el negocio; y *La Rebanada Feliz* estaba en quiebra. O lo que estaba en quiebra era mi corazón, porque hasta sentí cómo se empezaba a cuartear cuando vi que una lagrimita se le escurría a don Sancho.

—No, Sanchito –le dijo doña Cheta–. Si vamos a volver a abrir con la nueva receta secreta...

Ella trataba de animarlo.

Enrique y yo salimos con el corazón medio encogido.

Mi amigo ya ni quiso hablar. No aceptó ir al cuartel general para discutir de estrategias y tácticas. Se fue con la cabeza agachada y caminando en medio de la avenida principal.

Yo me sentí muy orgullosa. Se notaba que Enrique tenía un gran corazón...

11

El sábado siguiente dimos con la primera clave para la solución del misterio. No es precisamente que nosotros la hayamos encontrado (porque ni la estábamos buscando), sino que Abundio nos la dio.

Pasábamos por *El Último Paraíso Invisible* cuando Abundio entonó:

Ya no tiene rival,

pero no tiene su secreto

por más que sea sin igual

a esa pizza le falta...

a esa pizza le falta...

a esa pizza le faltaaaaaaaa...

lo que no sabe el tal señor Beto.

Laurita y yo, en plan de averiguar (o en plan de chisme) nos dirigimos a Abundio.

—¿Cuál secreto?, ¿quién es don Beto?, –preguntamos a coro y, además, en verso.

Abundio no contestó de inmediato. Me imagino que estaba creando su nueva composición musical. Se aclaró la garganta, escupió en la maceta (¡guácala!) y se puso de pie. Como si fuera la gran figura de la ópera, sacó el pecho y comenzó:

Bastó con un ala de cucaracha
para tronar a Sancho y Cheta
y es que al señor Beto nadie lo cacha
pues anda buscando el secreto

Y de la tonada estilo cumbia, cambió a ritmo ranchero para seguir:

Ese equipo no puede solo
contra el citado señor
a menos que alguien les diga
quién fue realmente el traidor

O estaba alucinando o Abundio sabía mucho. Estaba por decidir la verdad cuando voltee a ver a mis amigos.

Me asusté de ver a Enrique tan rojo. Justo así se pone mi tío Gustavo cuando está a punto de entrarle un ataque de furia: se pone color púrpura, pega en la mesa (o en lo que tenga a la mano), dice alguna frase fuerte y luego se calma. Es como una tempestad, pero de corta duración.

—¿Y ahora tú?, ¿qué te pasa? Vas a estallar –le dije un poco preocupada.

—Es que me da coraje y cuando me da coraje me siento mal —contestó, como que no muy convencido y pensando.

—Acuérdate que los berrinches son malos para el corazón —contesté (pensé agregarle "lo mismo que El Colesterol, es decir tú", pero no me atreví).

—Los corajes son veneno para el corazón, igualito que tú, Colesterol —remató Laurita que tiene cualquier cosa de buena gente, excepto lo discreta.

Creo que a Enrique no le hizo gracia y se puso realmente pálido, sin mayor explicación, dio media vuelta y se fue. Sólo alcanzamos a oír un "nos vemos al rato".

Laurita y yo nos quedamos de a mil (ya le subí al número, porque eso de de a cuatro nomás no me gusta); pero como no estábamos para andar aliviándole el mal humor a nadie ni para ocuparnos de la salud de todos, decidimos, ahora sí, ir a investigar.

Después de cruzar el puente, en el que tantas veces habíamos hecho maromas y piruetas vestidas de pizza, llegamos al local de *La Pizza sin Igual*.

Estaba recién pintado y unos muchachos acababan de colorear las últimas letras del anuncio sobre la puerta.

Aunque el estilo de letra no es precisamente moderno, la verdad es que el negocio se veía bonito..., confieso que espectacular. Sin exagerar, como que daban ganas de entrar. De la ventana salía un olor delicioso, pero ni remotamente parecido al aroma de los ingredientes secretos de don Sancho.

Aguantando el antojo y agachadas para que nadie pudiera vernos desde dentro, Laurita y yo rodeamos el edificio para buscar la ventana de la cocina y, desde ahí, espiar.

A mí siempre me han gustado las historias de misterio y me imagino que es súper emocionante trabajar de espía, especialmente porque usas disfraces, pelucas y todo tipo de postizos. Aunque a lo mejor en la vida real es un poco cansado no tener nunca la misma identidad y debes de conformarte con ser un desconocido para todos. Me imagino que tus hijos deben estar hechos a la idea de que todos los días enfrentarán a una mamá distinta (o un papá diferente, cuando los espías son hombres).

Ya cuando me estaba imaginando como una rubia despampanante con lentes oscuros e impermeable, espiando entre montañas llenas de nieve, Laurita me llamó la atención.

A señas, me pedía que me asomara a la ventana.

Como pude, me incorporé un poco y eché un vistazo. Dentro, un señor alto y calvo discutía a gritos y manotazos con alguien que no podía ver desde mi puesto de vigilancia. Parecía muy enojado y hablaba tan fuerte que alcancé a escuchar que hablaban de un secreto...

Cuando el señor calvo se movió hacia la derecha, alcancé a ver la figura de la persona con la que estaba hablando.

Justo frente a mí, dentro de la nueva pizzería, ¡en la mismísima cocina de los rivales! estaba Enrique. Automáticamente lo convertí en El Colesterol.

12

Laurita y yo pasamos el domingo sacando conclusiones. No voy a hacer mi lista de maravillosas teorías porque estaría más vacía que *La Rebanada Feliz* recién cerrada y en quiebra.

No sabíamos las respuestas pero eso sí, teníamos muchas preguntas:

1) ¿Qué hacía El Colesterol (recordemos que ya había dejado de ser Enrique) en el odioso local de colores de *Pizza sin Igual*?

2) ¿Quién era el individuo (como dicen en los periódicos) con el que estaba discutiendo?

3) ¿De qué secreto hablaban? (Aquí dejamos abierta la posibilidad de que hubiera varios secretos y nosotras ni enteradas...)

Yo le habría agregado una pregunta extra, pero ésta sí era personal:

Pregunta de Irene: ¿Por qué sentía dolor en el corazón y el estómago como trapo exprimido?, ¿sería desilusión?, ¿ese dolorcillo era el efecto que causaba entre todas las niñas de mi escuela el tal Colesterol?

Como no estábamos ahí para pensar en asuntos personales, decidimos entrar en acción. Yo tendría que sondear el terreno, es decir, ver qué información podía sacarle a Enrique, aprovechando que podía verlo en la escuela al día siguiente. Laurita haría el trabajo de campo. No es que tuviera que ir precisamente al campo, con vacas y flores silvestres. En el caso de la investigación detectivesca, se llama así a lo que se hace, digamos, en la calle, no los interrogatorios adentro de una oficina. Eso quiere decir que sería la encargada de espiar al estilo más tradicional.

Como yo estaría en la escuela, Laurita tendría que estar toda la mañana del lunes en la *Pizza sin Igual*, intentando investigar qué estaba pasando y, sobre todo, quién era el sospechoso de la calva.

Después de hacer la planeación y cuando Laurita se fue a casa pues tenía merienda familiar (típica de los domingos), se me bajó todo el entusiasmo detectivesco y me quedé bastante apachurrada. No que estuviera físicamente cansada o literalmente hecha una tortilla, sino que me quedé sin ánimos para nada.

A veces nos hacemos los locos para no darnos cuenta de las cosas o como que le damos mil explicaciones ilógicas a lo que no nos acaba de gustar; pero en el fondo hay un cuchillito que nos está machando por dentro. Después de darle veinte o más vueltas, comprendí que lo que me molestaba en realidad era la terrible respuesta que podría corresponder a la pregunta ¿y si Enrique (perdón, El Colesterol) era un traidor?

13

El lunes no quería ni pararme.

—Lógico —diría cualquiera—, porque es lunes y son los días más trágicos de la semana porque se acaba la libertad finsemanesca.

En realidad me daba miedo (por no decir que estaba aterrorizada) saber la verdad aunque, por otro lado, tenía que investigarla para poder ayudar a don Sancho.

Durante las dos primeras horas no vi ni rastro de El Colesterol. Por supuesto, no pude concentrarme en la clase de matemáticas y entré en pánico cuando me pasaron al pizarrón a despejar la X. No tenía ni idea de qué cosa quería decir eso.

—¿Es del tema de fracciones? —me atreví a preguntar.

El maestro Zurita, famoso por su adicción a las albóndigas y a dejar tareas extra, me extendió un papelito que acababa de escribir como a mil por hora. Porque eso sí, no hay quien le gane escribiendo fórmulas incomprensibles a una velocidad que llena el pizarrón en lo que nosotros apenas empezamos a platicar.

El "papelito" que, la verdad, no era tan pequeñito, contenía 20 operaciones con la tal incógnita X (luego entendí que despejarla no quería decir eliminarla sino dejarla solita...) y dos palabras dramáticas: PARA MAÑANA.

Luego tampoco pude poner mucha atención en la clase de historia que, en realidad, es de mis materias favoritas, exceptuando el periodo de la Reforma porque se me confunden las fechas.

La maestra Gracia (que no tiene ninguna, o sea, nada le hace gracia porque no tiene el más mínimo sentido del humor) hablaba de la Corregidora y la conspiración para derrocar al gobierno de los españoles en la guerra de Independencia.

Hasta ahí las cosas iban bien. Pero luego se me fue la mente a otro lado porque me imaginé una reunión de conspiración de pizzeros poderosos contra *La Rebanada Feliz* y empecé a armar toda una historia en la cabeza.

No sé si a los demás les pase, pero no puedo evitar armar historias. Es como soñar despierto. Por ejemplo, veo a una viejita con una niña en la Central de Autobuses y ya me imaginé tres posibles versiones:

1) La viejita es la abuela de la niña y viajarán juntas a Celaya para reunirse con su hija (de la anciana) o con la mamá (de la niña) y todas estarán felices con el reencuentro y harán dulces de cajeta juntas. Esa es la versión clásica, obvia y aburrida.

2) La niña se encontró a la viejita perdida en la Central y como pertenece a una de esas organizaciones que se dedican a ayudar a los demás, está entrenada para saber qué hacer y lleva a la pobre anciana con el gerente para que alguien encuentre a sus familiares. Esa es la versión tierna y melodramática.

3) La viejita es en realidad un robachicos vestido de anciana que se lleva a la niña a Uruguay para ponerla a pedir limosna. Esa es la versión trágica.

Claro, no son sólo tres historias. De cada escena se pueden hacer muchísimas versiones.

Una vez rompí mi propio récord porque de una parada del camión a otra, me inventé 16 versiones sobre el chavo de pelo punk y verde que platicaba con la niña más cursi que he visto en toda mi vida (que incluía una playera con un perrito french poodle bordado como en algodón rosa y azul celeste).

En fin que, volviendo al tema, cuando empecé a imaginar la Conspiración de la Pizza, había un personaje con capucha como de monje.

Como estaba oscuro, no podía verse su cara. Justo cuando estaba a punto de descubrirla (porque también me imagino efectos especiales como cámara lenta), la maestra Gracia me pidió amablemente que saliera del salón. Es un decir lo de amablemente.

Nunca, jamás, en toda la historia de mi existencia escolar había sido invitada a salir de un salón (mejor no digo expulsada porque suena como medio violento).

Yo sé que hay compañeros que están tan acostumbrados que tienen rutas y hasta lugares favoritos a donde van en caso de expulsión.

Pero como toda primera vez, me dispuse a explorar..., y a cumplir con mi misión. Así que me fui directito al salón de El Colesterol y discretamente me asomé por la ventana.

Ahí estaba, tan tranquilo, sentado entre puras niñas que lo miraban de cuando en cuando como si fuera un famoso actor de cine (de los guapos de moda), el vocalista de un grupo de rock (de los modernos) o, de perdida, como si fuera un héroe que acaba de salvar a alguien de morir ahogado o atragantado con un pedazo de chicharrón de puerco.

Podía ser muy galán pero Enrique no era malo y mucho menos traidor. ¿Cómo? ¡Si era mi amigo!

Ya iba a empezar a armar toda una novela cuando alguien gritó en el patio y sin dar tiempo a que me escondiera, hizo que Enrique volteara hacia la ventana.

Nuestras miradas se cruzaron…

Enrojeció.

Palideció.

Volvió a enrojecer.

Se puso blanco.

Y rojo.

Y sin color.

Etcétera.

Y luego hizo como si no me hubiera visto.

Enrique volvió a convertirse en El Colesterol.

14

Lo esperé a la salida de la escuela.

Ya había ensayado el discurso que le daría y la forma en que iría manejando la conversación para sacarle la información al sospechoso.

Dentro de mi corazón pensaba en la posibilidad de que fuera inocente porque podría ser que hubiera discutido con el calvo de *La Pizza sin Igual* para que no le quitara la clientela a don Sancho.

Esa posibilidad la había matado Laurita el día anterior con el clásico: ¿Y por qué no nos lo dijo entonces?

Con esa simple preguntita anuló toda posibilidad.

El Colesterol no nos había comentado nada. Eso, más su reacción al verme en la ventana, lo convirtieron en el Sospechoso Número Uno.

Mientras repasaba (mentalmente, claro) lo que iba a decirle, lo vi salir de la escuela.

Justo cuando estaba por empezar la investigación, volteó, me vio, enrojeció, palideció, etcétera y se escabulló.

Eso sí me dio coraje. Sin pensar (porque si lo hubiera meditado siquiera un minuto me habría quedado paralizada) me lancé a seguirlo.

Cuando cruzó el parque y yo trataba de esconderme detrás de los árboles para irlo siguiendo, un arbusto se me echó encima.

Digo, es normal que se tropiecen contigo o hasta que un niño pequeño se te aviente, sobre todo si está jugando con sus amigos; pero..., ¿es normal que te atropelle un arbusto?

Tardé poquísimo (muchísimo, dijo el arbusto) en darme cuenta de que las hojas andantes eran uno de los nuevos disfraces que Laurita se había confeccionado para su papel de espía.

Me informó (porque así me dijo: "Te informo...") que en su mochila traía además dos pelucas (una de La Llorona y otra del payaso Verdoso, con cabello verde, como su nombre lo indica), un disfraz de calaca que usó el Día de Muertos, dos pares de anteojos, un bigote postizo y un collar de perlas no verdaderas. Laurita es rápida y práctica.

El arbusto y yo seguimos discretamente a El Colesterol (digo discretamente aunque es difícil imaginarse que un árbol con patas, o pies, no llame la atención).

El Sospechoso Número Uno caminó directamente a la parada. Tomó el camión de siempre..., y tras él se fueron su servidora y el arbusto.

Por supuesto, para que no notara tanto la maleza dentro del camión (mientras Laurita se deshacía de su disfraz), yo hice como que me lo encontraba.

No tuve que fingir mucho porque en el pasillo del camión había una mochila atravesada. Sólo tuve que tropezarme (me salió natural) para caer a los pies del mismísimo Colesterol.

Por increíble que parezca, el sujeto (así llaman en la policía a las personas) ni se movió. Tampoco movió los ojos y tuve que pararme solita (yo pensé que todavía había caballeros, como dice mi abue Socorro).

—¿En qué andas? –le dije, así como muy casualmente.

—En camión –me contestó el muy chistosito, como si no hubiera entendido que le estaba preguntando qué estaba haciendo o qué pensaba hacer.

—Obvio –dije y me pasmé.

Pasaron los 43 segundos más angustiantes de mi vida hasta que se me ocurrió algo:

—¿Quieres ir con don Sancho? Laurita y yo vamos a visitarlo...

—No puedo –dijo ultra seco y cortante como cuchillo afilado–. ¿Y qué anda haciendo Laurita escondida llena de hojas en vez de estar en la escuela?

Otra vez me pasmé. No, no soy rápida de respuestas y es que, hasta ese momento, ni siquiera me acordaba de que Laurita tendría que haber estado en su escuela mínimo una hora antes.

—Nos vemos luego.

Así. Así le dije. ¿Qué tal? "Nos vemos luego", y al tiempo que lo pronunciaba empezó a darme coraje porque:

1) No es la frase más inteligente que se haya escuchado en el mundo (ni siquiera la mía más brillante).

2) No contesté a sus preguntas (porque no se me ocurrieron las respuestas).

3) Al tiempo de hablar ya me estaba escurriendo hacia la salida, había sonado el timbre de "parada" del camión y tomado del brazo a Laurita.

4) Lo peor de todo: le había dedicado la mejor de mis sonrisas con mejilla sonrosada de vergüenza y toda la cosa.

Cuando Laurita me preguntó qué había averiguado, tuve que soltarle toda una conclusión. No podía decir que Enrique me había dejado pasmada.

Así que le dije que nuestro ex amigo y ex rebanada no podía acompañarnos porque tenía un compromiso urgente con amigos de la escuela para hacer una tarea.

No sé si Laurita me creyó pero no le pareció mala idea pasar por *La Rebanada Feliz* para ver si don Sancho tenía ya una nueva fórmula secreta.

Y entonces llegamos a la ex pizzería de nuestros amores y lo vimos todo:

El señor calvo se alejaba rápidamente y dentro del negocio vimos a don Sancho.

Estaba llorando.

15

Justo en medio del restaurante, don Sancho había colocado la mesa más grande, la especial, reservada para familias numerosas (que en el caso de la colonia, era la de mis vecinos, que tenían cuatro hijos, doce gatos y seis perros…, aunque, claro, los animales se quedaban siempre afuera del restaurante).

Y justo en medio de la mesa Laurita y yo vimos una enorme pizza. Pero eso no fue lo bueno. Lo mejor no era la vista sino el olfato (mi sentido favorito, además del gusto): la pizza despedía un aroma como mágico. Y nuestras tripas comenzaron a sonar.

No me explico bien por qué en cuanto algo se te antoja o tienes hambre, el estómago comienza con su ruidero. Digamos que no es un órgano muy discreto, por no acusarlo de delator o soplón, como quien dice.

No sé qué era más grande: mi antojo o los lagrimones

de don Sancho.

Pero algo no cuadraba, como que no hacía juego en la escena: don Sancho sonreía y lloraba al mismo tiempo.

Me imagino que pensó que lo estábamos viendo como si se hubiera vuelto loco. Sólo dijo:

—¡La encontré!

Ahora sí pensamos que se le habían cruzado los cables. Ante nuestra cara de interrogación, no le quedó más que aclarar:

—¡La nueva fórmula archi-requete-súper-secreta! —dijo, como si fuera lo más obvio del mundo.

Sólo entonces nos dimos cuenta de que en la cocina, doña Cheta recogía, limpiaba, lavaba y acomodaba bolsas y frascos de ingredientes. Todo como si tuviera 20 años y con una enorme sonrisa.

Mucho llanto y lágrima pero ¡de pura felicidad! Aunque no falte quien diga que llanto $\neq$ lágrima (esto lo puse nomás porque quería usar un símbolo matemático y quiere decir "distinto a").

Y sin más, Laurita y yo soltamos el llanto. No sé por qué pero las lágrimas son contagiosas, especialmente si son de felicidad y las derrama alguien a quien quieres.

Claro, hay gente que exagera, como mi mamá, a la que he visto llorar cuando gana alguien en los concursos de la tele. Y chilla de pura alegría aunque no conozca a los ganadores ni se sepa su historia ni los vaya a volver a ver en su vida. Por eso la alegría es un virus y el que se contagia suelta la lágrima.

Mi compañera rebanada y yo estábamos sonrientes y moqueando todavía cuando don Sancho nos dijo:

—Señoritas, tengo el honor de invitarlas a ser las primeras en dar su veredicto —y nos extendió un pedazote de pizza a cada una. Quiero aclarar que jamás nos había dicho "señoritas" sino "mis pizzas" o cuando mucho "Laura e Irene". Supongo que quiso sonar solemne para la ceremonia de degustación de la nueva pizza.

No sé cómo explicar lo que pasó después. Introduje a mi boca una pizza con un sabor imposible de describir. Porque si me preguntan, no sabría decir si es dulce o agrio o salado, si está o no condimentada ni podría decir con seguridad todos los ingredientes. Sólo podría decir que es como comerse un cacho de cielo (o sea, que sabe a gloria, como dice mi tía Gloria, o que es el manjar más delicioso sobre la Tierra).

—Emm emm —don Sancho no se atrevía a hacer la pregunta. La verdad es que nos había tomado confianza como sus probadoras oficiales de pizza. Sabía que si le gustaba a "sus rebanadas" sería del gusto de la clientela. Quién sabe por qué pero Laurita y yo somos buenas para atinarle a lo bueno.

Laurita y yo seguimos masticando tranquilamente con los ojos cerrados, como para apreciar el sabor sin interrupción de otros sentidos..., y para mantener el suspenso.

—¿Y? —se atrevió a preguntar don Sancho.

—Yo diría que... —y me detuve, como si estuviera buscando la palabra exacta.

—Estáaaaa…, —murmuró Laurita al mismo tiempo y se detuvo para voltear al techo, como si fuera a encontrar algo importante en las alturas.

Las dos nos relamimos los bigotes, igualito a como le hacen los gatos después de tomar leche y, sin ponernos de acuerdo, dijimos al mismo tiempo:

—¡Deliciosa!

—¡Más que estupendísima! —agregó Laurita, aunque sabe perfectamente que esa palabra no existe.

—¡Pizzísima! —grité yo por decir algo, aunque fuera semejante babosada.

Hay que imaginarse la escena siguiente:

Acto 1. Don Sancho y doña Cheta corren a abrazarse como si hubieran encontrado la cura para la peor enfermedad del mundo o como si hubieran resuelto un enigma sobre la vida en otros planetas.

Acto 2. Don Sancho y doña Cheta se mojan mutuamente en lágrimas, uno encima del hombro del otro.

Acto 3. Laurita e Irene rompen en llanto.

Acto 4. La Rebanada Feliz está a punto de inundarse de tanta felicidad.

Y justo cuando comenzábamos a hacer planes para la gran reapertura del restaurante y la campaña publicitaria para anunciar la pizza más limpia e higiénica del mundo, un brillo en la ventana llamó mi atención.

El sol del atardecer pegaba directamente en…, ¡una cabeza calva!

16

¡**A**guas!

A la muy original de mí no se me ocurrió decir otra cosa. Podría haber gritado "¡espías!" o mínimo un código secreto pero no: ¡aguas! Una simple palabra que para todos en este país es lo mismo que "¡cuidado!"

Pero la cabeza se había ido.

No quise alarmar a los patrones pizzeros, así que jalé como pude a Laurita, quien ya se disponía a meterse otra rebanada a la boca, y salimos corriendo.

—Vi una calva, por lo del brillo en la ventana, cuando probamos la pizza y había otra calva y me suena conocida y creo que tenemos que seguirlo y... —expliqué sin explicar nada realmente porque estaba entre emocionada (porque teníamos oportunidad de convertirnos en espías verdaderas) y asustada (¿y si era un criminal peligroso?)

—Absolutamente delicioso –contestó Laurita con los ojos medio en blanco o como de borrego a medio morir, diría mi tía Ana.

Mi amiga seguía extasiada con el sabor de la pizza y no había puesto la menor atención a mis palabras (aunque si me hubiera oído no estoy segura de que entendería algo).

—Tenemos que seguir al de la calva –la sacudí un poco y eso pareció volverla a la realidad.

Corrió detrás de mí mientras ella sola se explicaba en voz alta qué es lo que estaba pasando.

—¡Ah, ya! Viste a alguien en la ventana porque el sol brillaba sobre una calva, la calva te recuerda a ese alguien al que vimos en la *Pizza sin Igual*, y ahora sí, tenemos que ser detectives de verdad y... (siguió hablando mientras cruzamos el puente hacia la colonia de enfrente).

Después de unas cuadras que pusieron a prueba mi muy escasa condición física (mi clase menos favorita es deportes), vi brillar de nuevo la calva en la cabeza de un señor que caminaba apresuradamente hacia un conjunto de casas que, no sé por qué, me parecieron conocidas. Igual las había visto alguna vez en las exploraciones intercoloniales (o sea, entre colonias).

Antes de que pudiéramos alcanzarlo, el señor Calva Brillante sacó unas llaves y abrió la puerta de la casa más bonita de toda la cuadra.

Escondidas detrás de postes y botes de basura logramos llegar hasta la ventana de la casa. Los arbustos de afuera nos sirvieron casi de sillón para ver cómodamente hacia el interior.

Laurita se desplazó un poco más a la izquierda para poder atisbar por una pequeña ventana que estaba en la parte más alta.

—Chssss, chssss –me llamó. Estaba sorprendida. Es fácil darse cuenta de cuando alguien se asombra. Generalmente, todos abren los ojos y la boca. No sé si eso es parte de la naturaleza humana, como un instinto o algo así, o si es algo que aprendimos desde pequeños y hacemos por imitación.

Ya podríamos encontrar una cara de sorpresa más original o al menos distinta, para no ser tan obvios. Aunque andar cambiando caras podría traernos dificultades. Por ejemplo, todos sabemos que la sonrisa significa alegría. ¿Qué pasaría si decidiéramos que para parecer alegres de hoy en adelante usáramos como gesto, por decir, cerrar los ojos y sacar la lengua? Creo que habría muchas confusiones..., mejor nos quedamos con los gestos que aprendimos que, al fin y al cabo, son parte del lenguaje con que todos nos entendemos.

Ya me fui del punto. Pero el caso es que Laurita seguía con el mismo gesto y la mirada fija.

Se hizo a un lado y pude asomarme. La ventana pertenecía a un pequeño cuarto, muy oscuro, de esos que sirven para guardar cosas que no sirven para nada pero que tampoco nadie se atreve a tirar por si se vuelven a usar en un futuro (unos 300 millones de años, por ejemplo).

En una esquina, con las manos en la cabeza y la mirada al piso (otro gesto clásico) estaba el pobre de Enrique. Ya no podía ser El Colesterol, si estaba encerrado ahí, en la misma cueva del criminal.

Lo vimos pararse e intentar abrir la puerta que lo mantenía encerrado. Era obvio que estaba cerrada por fuera. ¿Habría intentado enfrentarse solo a Calva Brillante? ¿El criminal trataría de intercambiarlo por las recetas de pizza? ¿Lo habría hecho enojar mucho Enrique con sus historias de don Sancho y doña Cheta?

—Voy a tocar el vidrio para avisarle que estamos aquí –dije; pero Laurita me detuvo a tiempo.

—Tenemos que actuar como verdaderos héroes. La policía no le avisa a las víctimas, sino que enfrenta directamente a los criminales.

Como yo no veo muchas películas de delincuentes y suspenso, supuse que Laurita tendría razón. Así que la seguí hasta la puerta.

Yo no sé cómo actúen los policías de verdad. El caso es que lo único que hizo Laurita fue tocar el timbre, como lo hubiera hecho cualquier vecino, hijo de vecino o vendedor.

Nos abrió el mismísimo criminal, sólo que en pantuflas. Antes de que cerrara, las dos nos metimos a la casa y empezamos a gritar. Creo que nos vimos bastante poco profesionales.

¡Ladrón de pizzas!

¡Secuestrador de menores!

¡Nunca revelaremos la receta secreta! (No le mencionamos que ni siquiera la sabíamos)

¡Malvado y criminal!

¡Calva Brillante es malvado!

Cuando se nos acabaron las ideas, Calva Brillante levantó la mano, extendió el dedo índice y nos pidió amablemente que nos sentáramos. Laurita y yo estábamos seguras de que era una trampa.

—Saca de la cueva a El Colesterol —exigió Laurita a cambio de obedecer sus órdenes…, su invitación en realidad, porque tampoco nos estaba obligando a sentarnos ni nada por el estilo. Hasta había parecido una invitación amable para que nos sentáramos cómodamente.

—¿Cuál cueva? ¿Cuál colesterol? ¿De qué están hablando? —dijo Calva Brillante fingiendo una estupenda cara de sorpresa. En ese momento pensé que seguro había sido actor antes de dedicarse al crimen.

Antes de que pudiéramos contestar, se escucharon golpes contra la madera. Calva Brillante salió corriendo de la sala, se oyó el rechinido de una puerta al abrir y luego…, pasos.

Enrique llegó junto con Calva Brillante a la sala. Tenía muy mala cara. Yo inmediatamente pensé que había sido torturado.

—Laurita, Irene, les presento a mi papá, Alberto Góngora –dijo.

Laurita y yo abrimos los ojos y dejamos caer la mandíbula en la más tradicional de las caras de sorpresa.

17

Sólo puedo decir que se me vino a la mente la canción que escuchamos de Abundio: "...a esa pizza le falta, lo que no sabe el tal señor Beto".

Porque Beto se les dice a los Albertos, a los Robertos, a los Austrobertos y otros más que no terminan en "berto", pero que seguramente quieren esconder un nombre espantoso de los que sólo existen en el santoral y felicitan todos los días en los programas de radio.

Laurita y yo no supimos qué hacer. Cambiamos nuestra heroica pose de luchadoras contra la injusticia y la criminalidad pizzeril, y nos convertimos en dos insípidas rebanadas de pizza, sólo que sin disfraz.

Aunque nadie nos había vuelto a invitar, nos sentamos en un sillón. Por el gesto nervioso y la sudadera de manos de El Colesterol (?) o Enrique (?) era obvio que tenían que empezar las explicaciones.

Aunque el papá de Enrique —alias Calva Brillante— estaba muy serio, me pareció ver una maligna sonrisa en su rostro, como si estuviera muy divertido.

—Tengo que darles una explicación —dijo Enrique con una obviedad impresionante. Como si no se diera cuenta de que eso era lo que estábamos esperando.

—Ajá —contestamos Laurita y yo. No cabe duda de que había que tener paciencia pues nuestro ex amigo no sabía por dónde empezar.

—O lo haces tú o lo hago yo —apuró don Beto. Su voz era suave y tranquila, pero no por eso nos dejaríamos engañar.

Enrique tragó saliva. No es un decir, realmente oímos cómo pasaba por su garganta, como si en lugar de un líquido cualquiera estuviera pasando aceite espeso o licuado de camotes.

—La pizzería *sin Igual* es de mi papá —dijo. Fue lo único comprensible que pronunció. De ahí en delante de su boca salió una cascada de palabras que Laurita y yo, con los ojos muy abiertos, teníamos que hilar, tejer y coser para entender la historia.

Y como me parece muy difícil repetir, haré un breve resumen porque la madeja de palabras estaba enredadísima:

Don Beto tenía un restaurante de comida afgana que resultó un fracaso. Según él, porque en Afganistán muchos de los platillos están elaborados con carne cruda y salsas muy condimentadas. (Aquí Laurita hizo un gesto de asco, y yo no me atreví a confesar que a mí me encanta la carne cruda y que mi platillo favorito, además de las pizzas de don Sancho, es la tártara, o sea, carne molida cruda con huevo, mucha pimienta y limón).

A los colonos de enfrente no les pareció muy apetecible. Apenas veían el menú y huían despavoridos. Esa parte del relato me pareció una exageración... Digo, nadie corre asustado por leer lo que ofrece un restaurante.

Pues resulta que su dizque posible clientela comenzó a escuchar sobre las delicias de *La Rebanada Feliz* (y, yo agregaría, sobre sus magníficas rebanadas danzantes) y empezó a idear un plan para hacer un buen negocio.

Pero don Beto no tenía idea de cómo hacer una pizza, mucho menos una que fuera deliciosa y pudiera competir con las de la colonia vecina.

Así que se convirtió en un buen cliente de *La Rebanada Feliz*, tratando de adivinar los secretos. Lo de adivinar lo digo yo, porque ni nosotros sabíamos la receta secreta y eso que estábamos todos los días cerca. No sé si don Beto supuso que la receta le iba a llegar por ondas en el aire...

—Pasó horas viendo discretamente cómo hacían la pasta y la forma en que don Sancho la metía al horno —explicó avergonzado Enrique. Y sí, yo también estaría atacada nomás de pensar que mi papá pudiera andar de espía.

Dio entonces la casualidad de que Enrique se convirtió en la pizza de champiñones. Y el círculo se cerró –para don Beto, se entiende–, cuando el futuro pizzero escuchó una canción de don Abundio.

En ese momento de la narración, el papá de Enrique se lanzó al *bel canto* con una voz que ya hubiera querido tener el mismísimo Abundio, nuestro ruiseñor personal (o colonial):

> Si a pizzero quieres llegar
> el secreto tendrás que encontrar
> la delicia más espectacular
> don Sancho nunca la va a revelar...

(Y así siguió por el estilo).

A mí ya casi se me olvida el enojo porque la verdad es que el papá de Enrique sí canta. Y canta tan bonito que te deja boquiabierta y pensando en las nubes. Hasta volví a ver guapo a El Colesterol.

—Y entonces mi papá tuvo la pésima idea de hablar con La Voz –interrumpió Enrique mis pensamientos que ya andaban por las praderas y los angelitos, además de cortar de tajo la inspiración de don Beto y su afinada garganta.

—¿Con La Voz? ¿El farmacéutico? ¿Para qué? ¿Qué tiene que ver él con todo este asunto? –a Laurita le salían diez preguntas antes de que a mí se me ocurriera la primera.

—Simplemente le pregunté si sabía la receta secreta y le comenté que quería poner mi propio negocio –explicó don Beto.

—Como no había habido chisme alguno que divulgar, La Voz vio la oportunidad y tramó lo del ala de cucaracha –siguió Enrique.

—¿Pero por qué? –ahora sí no me quedó más que preguntar. No podía entender por qué había que hacerle daño al negocio de don Sancho.

El Colesterol explicó entonces que La Voz estaba más que arrepentido pero de ninguna manera podía descubrir públicamente su crimen.

—Fui a hablarle porque él era quien podría saber qué es lo que había pasado –agregó Enrique–; después de un largo interrogatorio, me di cuenta de que La Voz había inventado todo...

Laurita y yo nos miramos sin entender.

—La Voz tiene una grave enfermedad –dijo muy serio Enrique–. Se llama algo así como Síndrome de Compulsión Extrema al Chisme y la Maledicencia que, en pocas palabras, es una adicción a andar chismeando.

—Y como no tenía qué chismear, puso el ala de cucaracha para poder seguir chismeando..., el clásico Síndrome de Chisme Provocado –afirmó Laurita con una cara de sabiduría que nadie podría haber contradicho.

—Algo así –titubeó don Beto no muy convencido. Todo eso coincidió con la apertura de mi nuevo negocio.

—Cuando me enteré de lo que había pasado, discutí con mi papá hasta que lo convencí –dijo Enrique–. Y es que cuando supo la historia de don Sancho y doña Cheta se sintió muy apenado.

—¿Y por qué no nos lo platicaste? –intervine.

—Mmmm... No quería que pensaran mal de mi papá –explicó Enrique.

Pero Laurita y yo habíamos visto a Enrique encerrado en el cuartucho de su casa. ¿Sería que don Beto lo había torturado para que repitiera esa historia para engañarnos y seguir con sus planes?

—Estaba sacando mi disfraz de pizza del clóset y me quedé encerrado por dentro –nos dijo Enrique cuando lo cuestionamos.

El problema, supimos, es que don Beto no sabía de las actividades de Enrique por las tardes pues su hijo, El Colesterol, jamás se lo dijo: sabía que desaprobaría ese trabajo.

—Trabajaba de rebanada a escondidas porque pensé que mi padre no querría permitirme hacerla de pizza, puesto que quiere que yo sea un gran físico matemático –dijo Enrique.

—Y cuando supe de su trabajo, en realidad me puse feliz pues es una chamba digna y artística –agregó don Beto conmovido.

Antes de soltar la lágrima, Laurita volvió a la cargada:

—Sí, pero..., ¿qué hacía usted husmeando por la ventana de *La Rebanada Feliz* hace un rato? —interrogó. Aquí yo contuve el aliento por terror a que dijera que yo había hablado de un espía de calva brillante.

—Fui al restaurante de don Sancho porque quería avisarle que voy a cerrar ese negocio y para ayudarle con su nueva campaña publicitaria —aclaró don Beto—. Me asomé y los vi tan felices a todos que no quise interrumpir...

Así que una simple ala de cucaracha había creado todo el enredo. Aunque parezca increíble, nos abrazamos y hasta brindamos (con agua de tamarindo) por el éxito de reinauguración de *La Rebanada Feliz* y nuestro regreso a la mejor chamba del mundo.

18

La reapertura de *La Rebanada Feliz* fue un gran éxito por muchas razones:

Lo obvio: la pizza era deliciosa y, su aroma, imposible de resistir.

Hicimos una campaña de primera para explicar (sin entrar en muchos detalles) que el ala de cucaracha no había llegado ahí con todo y cuerpo del bicho (con lo que don Sancho recuperó su fama de higiénico).

Ensayamos miles de acrobacias y dedicamos todo el fin de semana siguiente a promover en puentes, camellones y glorietas la mejor pizza del mundo.

La gente estaba harta de las grasientas tortas de don Gaudencio y recibió con alegría el regreso de las delicias, y ahora, con nueva fórmula secreta.

Don Sancho y doña Cheta recuperaron su negocio y se la pasan felices experimentando con los

ingredientes más extraños. Yo ahora prefiero ni enterarme porque vi betabeles y acelgas en la bodega, y espero que no figuren jamás en las recetas que se usan en *La Rebanada Feliz...*, aunque uno nunca sabe.

Enrique, Laurita y yo estamos mucho tiempo juntos y nos sentimos orgullosísimos de ser pizzas amigas. Y, sobra decir, la pizza de champiñones y la de salami pasan mucho tiempo juntos...

La Voz ingresó a un curso de rehabilitación Antichisme y parece que va progresando. Nosotros le prometimos que no divulgaríamos jamás su crimen, si prometía dejar de andar chismeando. Parece que está trabajando además en una nueva medicina que servirá para contener su enfermedad.

Aunque doña Arminta fue la más difícil de convencer de la absoluta pureza de las pizzas de don Sancho, se ha vuelto cliente consentida..., y nosotros fingimos no darnos cuenta de cuando revisa abajo del queso en busca de un fragmento de insecto (que nunca encontrará).

Don Beto puso un puesto de tacos mañaneros que no es competencia para don Sancho y además están deliciosos (¿cómo nos veríamos vestidos de tacos? Si hacemos botargas, pediría no ser el de sesos...)

Pero lo mejor de todo es que ahora don Beto se integró a las filas de trabajo de *La Rebanada Feliz*. El restaurante abre en las noches, con mesitas decoradas y velas multicolores, lo que lo hace un lugar romántico y tranquilo para celebrar cualquier cosa, acompañados por la bella voz del papá de Enrique que está ejerciendo su verdadera vocación. Hasta Abundio ha ido a escucharlo.

Y la combinación fue perfecta: el aroma de las pizzas y la entonación ensoñadora de don Beto son como un imán para atraer gente al negocio.

Por supuesto, el atractivo principal es el grupo de baile de Las Rebanadas de Pizza, que corremos por calles y puentes todo el día y, en ocasiones, brindamos un número especial de danzas pizzeriles a los clientes de don Sancho.

No cabe duda. Soy una buena rebanada de pizza...

Se terminó la impresión de esta obra en septiembre
de 2007 en los talleres de Editorial Progreso, S.A. de C.V.
Naranjo núm. 248, col. Santa María la Ribera
Delegación Cuauhtémoc, C.P. 06400, México, D.F.